MISTAR FFRANCENSTEIN

Tony Bradman

Darluniau gan Peter Kavanagh

Addasiad Emily Huws

Argraffiad cyntaf—2001

ISBN 1 85902 920 5

Cyhoeddwyd gyntaf ym Mhrydain yn 1998 gan Transworld Publishers, 61-63 Uxbridge Road, Llundain W5 5SA.

Cyhoeddwyd dan gynllun comisiynu Cyngor Llyfrau Cymru.

Dymuna'r cyhoeddwyr gydnabod cymorth Adrannau Cyngor Llyfrau Cymru.

Argraffwyd gan
Wasg Gomer, Llandysul, Ceredigion

Cynnwys

Draw ym mherfeddion y mynyddoedd sbwci roedd storm sbwci yn rhuo. Yng nghanol y storm sbwci honno roedd hen gastell sbwci. Yn y castell sbwci hwnnw roedd labordy sbwci. Ac yn y labordy sbwci hwnnw . . .

Roedd rhywbeth *dychrynllyd* o *sbwci* yn digwydd.

Roedd tanciau anferth yn ffrwtian a phoeri, a pheiriannau anferth yn dobio a dyrnu. Roedd gwifrau di-ri ac yn sïo ac yn ffrio. Ac yng nghanol yr holl sŵn dychrynllyd roedd . . . Y Doctor.

Tynnodd lifar anferth.

Agorodd y to yn
llydan i'r nos a rhuodd
y gwynt i mewn.
Dyrnodd taranau,
fflachiodd mellten . . .
a THAAAAARO
gwialen haearn.
Sïodd i lawr
y wal, llosgi
ar draws y llawr,
a sboncio . . .

yn syth i ganol
ffurf od o dan
gynfas.

Pwysodd Y Doctor ar fotymau. Saethodd gwreichion a mwg i bobman. Syllodd Y Doctor ar ei glociau. Edrychodd dros ei ysgwydd – ac yna gwenodd. Yn bendant, roedd rhywbeth yn . . . crynu o dan y gynfas.

MAE'N FYW O'R DIWEDD!

Yn sydyn, cododd y ffurf ar ei eistedd a disgynnodd y gynfas ar y llawr. Daeth creadur erchyll i'r golwg. Cododd ar ei draed anferth. Herciodd tuag at Y Doctor.

Estynnodd ei ddwylo anferth allan gan ochneidio a griddfan.

Tu allan roedd
y storm yn tawelu
a'r gwynt yn
gostegu.

"Dwi ... eisio ...
bod ... yn ... athro," rhuodd
y creadur. "A ... athro!"

"Wyt ti'n siŵr?" gofynnodd
Y Doctor yn syn.

"Yn berffaith siŵr," meddai'r
creadur, a'i lygaid yn pefrio.

"Wel, rhyngot ti a dy gawl,"
meddai'r Doctor. Diffoddodd
y peiriannau ac
aeth i wneud paned.

Fedra i ddim dioddef
plant. Fedra i ddim
dychmygu jobyn gwaeth!
Ond mae'n rhaid
i rywun eu dysgu nhw,
mae'n debyg.

Felly aeth y creadur i goleg hyfforddi athrawon. Gweithiodd yn galed iawn, ac un diwrnod nid creadur yn unig oedd o. Roedd ganddo ddarn crand o bapur yn dweud . . .

A'r cyfan oedd o eisiau wedyn oedd dosbarth o blant i'w dysgu ...

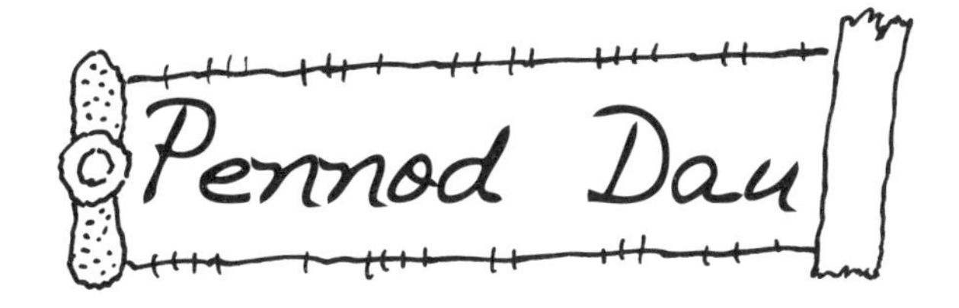

I lawr wrth droed y mynyddoedd sbwci, roedd tref fechan. Ar gwr y dref fechan honno, roedd ysgol fechan. Yng nghanol yr ysgol fechan honno roedd ystafell ddosbarth fechan. Ac yn yr ystafell ddosbarth fechan honno . . .

Roedd rhywbeth bychan bach wedi dianc.

Roedd bron bob un o'r plant yn rowlio chwerthin, a'r gweddill yn sgrechian ac yn gwichian. Roedd dau ohonyn nhw'n chwilio ac yn chwalu.

Ac yng nghanol yr holl fwrlwm roedd . . . Miss Pritchard, y pennaeth.

Roedd Samson,
y bochdew, wedi dianc
o'i gawell.
Roedden nhw
bron â'i ddal,
ond sbonciodd
a neidiodd yn
igam-ogam yn ôl
ac ymlaen dros
y llawr, ac yna
rhoddodd
naid
anferth . . .

yn syth i mewn i'w gawell.

"Diolch byth!" meddai Miss Pritchard a chau drws y cawell – CLEP!

"Well imi gael gair am Samson gyda'ch athro newydd," meddai hi. "Dydw i ddim eisio iddo fo greu helbul fel gawson ni'r tymor diwethaf."

"Pwy ydi'n athro newydd ni, Miss?" gofynnodd un o'r plant.

"Gewch chi wybod yn ddigon buan," atebodd Miss Pritchard. "A, dyma fo'n dod rŵan!"

Gwrandawodd y plant. Dyna BWM! tu allan yn y coridor. Ac yna un arall, ac un arall . . .

BWM! BWM!

Roedd rhywun yn nesáu at eu hystafell ddosbarth. Rhywun efo traed trwm iawn.

Crynodd y llawr. Crynodd y byrddau a'r cadeiriau. Crynodd y plant.

Yn sydyn, gwichiodd y drws ar agor . . . a safai ffurf anferth uwch eu pennau . . .

Mistar FFRANCENSTEIN oedd yno!

Roedd pawb wedi dychryn. Roedden nhw i gyd yn crynu yn eu sgidiau. Gwichiodd Samson a syrthio oddi ar ei olwyn.

"Gwrandewch, bawb," meddai Miss Pritchard. "Dyma Mistar Ffrancenstein, eich athro newydd chi. Felly, o hyn ymlaen, dosbarth 3Ff fyddwch chi. Be ydach chi'n ei ddweud, 3Ff? Ie, dyna ni: *Bore da, Mistar Ffrancenstein.*"

Arhosodd Miss Pritchard. Ond ddywedodd neb ’run gair. Eisteddai 3Ff yno’n dawel, yn crynu ac yn *crynu*.

“Dowch, blant,” meddai Miss Pritchard. “Cwrteisi, os gwelwch yn dda.”

Ond ddywedodd Dosbarth 3Ff ’run gair. Roedden nhw wedi eu syfrdanu’n llwyr.

“Dydi hynna ddim yn groesawgar o gwbl, 3Ff,” meddai Miss Pritchard yn flin. "Gobeithio, wir, mai swil ydach chi ac y byddwch chi'n well fory. Wel, mi adawa i nhw yn eich dwylo chi, Mistar Ffrancenstein," meddai hi wrth adael y stafell. "Dwi'n siŵr y bydd popeth yn iawn."

Ond doedden nhw ddim—ddim o bell, bell ffordd.

Pennod Tri

Safai Mistar Ffrancenstein yn yr ystafell o flaen y dosbarth yn gwisgo'i siwt fawr. Tu mewn i'r siwt fawr roedd ei gorff mawr.

Tu mewn i'r corff mawr hwnnw, curai ei galon fawr.

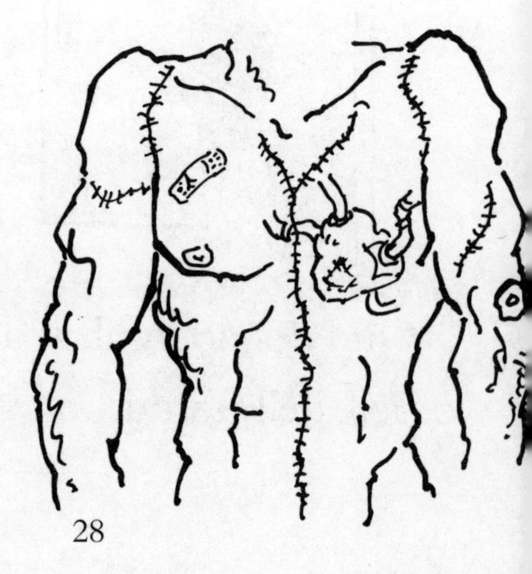

A thu mewn
i'r galon fawr
honno . . . roedd
rhywbeth mawr,
mawr yn digwydd.

Wedi'r cyfan, dyma ddiwrnod pwysicaf bywyd Mistar Ffrancenstein. Yn wahanol i'r Doctor, roedd Mistar Ffrancenstein yn hoff iawn o blant. Roedd o'n meddwl fod dysgu plant yn waith gwych ac yn gobeithio'n *arw* y byddai'n athro da.

Ac roedd yn awyddus *iawn* i'r plant ei hoffi fo.

Roedd plant Dosbarth 3Ff yn dechrau ymlacio rywfaint. Syllai'r rhan fwyaf ohonyn nhw ar Mistar Ffrancenstein. Ond roedd rhai ohonyn nhw'n sibrwd gyda'i gilydd. A chododd dau ohonyn nhw eu dwylo.

"Ie? Beth sy'n bod?" gofynnodd Mistar Ffrancenstein mewn llais

dwfn, dwfn. Pwyntiodd at y plentyn agosaf ato oedd eisiau gofyn cwestiwn.

"Pam 'dach chi mor . . . hyll, Syr?" gofynnodd y bachgen bach digywilydd. Dechreuodd pawb grechwenu a sibrwd dan eu dannedd, gan ymlacio llawer iawn mwy.

"Esgusodwch fi?" meddai Mistar Ffrancenstein, wedi synnu braidd.

"Os gwelwch chi'n dda, Syr . . ." galwodd yr ail blentyn a'i law i fyny.

"Ie?" gofynnodd Mistar Ffrancenstein gan droi ati hi.

"Mae Samson wedi dianc eto, Syr," meddai ac aeth y lle'n ferw gwyllt y munud hwnnw.

Yn fuan iawn roedd bron bob un o'r plant yn gweiddi ac yn chwerthin, a'r gweddill yn sgrechian ac yn gwichian. Roedd dau ohonyn nhw'n chwilio ac yn chwalu. Ac yng nghanol yr holl fwrlwm . . . roedd . . .

. . . Mistar Ffrancenstein, ymhell o fod yn hapus ond yn gwneud ei orau glas.

Helpodd nhw i ddal Samson. Trampiodd ar hyd a lled y dosbarth gyda'i draed anferth,

BWM! BWM! BWM!

Daliodd y bochdew yn ei ddwylo anferth . . . a'i osod yn ôl yn ei gawell yn ofalus.

Ond roedd y gair *hyll* yn canu fel cloch yn ei ben.

Sylwodd fod y plant yn cadw o'i ffordd, er eu bod yn closio at yr athrawon eraill. Sylwodd fod gan y plant ddigon i'w ddweud, ond dim ond tu ôl i'w gefn.

Ac erbyn diwedd y pnawn ...

Teimlai Mistar Ffrancenstein yn *drist iawn*.

“Dydyn nhw ddim yn fy hoffi i, Samson,” meddai wrth ei unig ffrind. “Am fy mod i’n edrych yn wahanol, mae’n debyg.” Edrychodd Samson arno’i hun yn ei ddrych yntau, a gwichian.

“Ond fe allwn i newid . . ?”

Draw ar ochr bellaf y dref o'r ysgol fechan roedd canolfan siopa fawr newydd sbon. Yng nghanol y ganolfan siopa fawr newydd sbon roedd siop ddillad newydd sbon. Ac yn y siop ddillad newydd sbon honno . . .

Roedd rhywun yn edrych am rywbeth *newydd sbon* i'w ffitio.

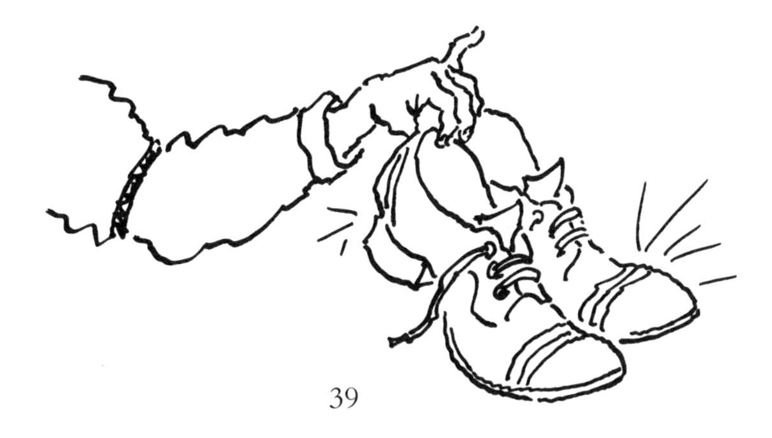

Felly prynodd Mistar Ffrancenstein y siwt newydd sbon a thomen o bethau eraill. Aeth i gael torri'i wallt yn smart, a chael trin ei ewinedd, ac fe gafodd wersi gwenu. Cyn bo hir, teimlai'n fwy hyderus o lawer.

Y cyfan roedd arno ei angen wedyn oedd i ddosbarth arbennig ei hoffi.

Fore trannoeth, daeth pawb i mewn i'r dosbarth fel arfer. Eisteddodd 3Ff i lawr i aros am eu hathro . . . aros . . . ac aros . . . ac aros.

Gwrandawodd pawb yn astud.

BWM! BWM! BWM!

Roedd rhywun yn dod yn nes ac yn nes at yr ystafell ddosbarth. Rhywun efo traed trwm iawn.

Crynodd y llawr. Crynodd y byrddau a'r cadeiriau. Crynodd y plant.

Yn sydyn gwichiodd y drws ar agor . . . safai ffurf anferth o'u blaenau. Mistar Ffrancenstein oedd yno, yn wên o glust i glust.

Daliodd pawb eu gwynt, a chrynu mwy fyth . . . ond crynu *chwerthin* y tro hwn.

Gwichiodd Samson a syrthio oddi ar ei olwyn eto. Ond sylwodd neb arno. Roedd plant 3Ff yn rhy brysur yn chwerthin am ben y person a safai o'u blaenau.

"Ym . . . iawn, Dosbarth 3Ff," rhuodd o'r diwedd, yn gwenu o hyd. "Be ydi'r jôc?"

"Chi, Syr," atebodd un o'r bechgyn gan rowlio chwerthin. A chwarddodd y dosbarth nerth eu pennau nes i'r holl ysgol eu clywed. Ddywedodd Mistar Ffrancenstein 'run gair o'i ben. Ond yn araf diflannodd y wên oddi ar ei wyneb.

Ar draws yr awyr drist, roedd cymylau trist yn casglu. O dan y cymylau trist hynny safai ysgol drist. Yn yr ysgol drist honno roedd swyddfa pennaeth trist. Ac yn swyddfa'r pennaeth trist hwnnw . . .

Roedd rhywbeth *trist iawn* yn digwydd.

Fu Mistar Ffrancenstein erioed mor drist yn ei fywyd. Roedd o wedi gwneud ei orau glas i wneud gwaith da. Roedd o wedi gwneud ei orau glas i fod yn glên wrth y plant. Ond canai'r chwerthin fel cloch yn ei ben.

Felly roedd o am roi'r gorau i fod yn athro.

"Ydach chi'n berffaith siŵr?" gofynnodd Miss Pritchard, yn syn braidd. Nodiodd Mistar Ffrancenstein ei ben yn drist.

"O, wel," meddai Miss Pritchard yn ddigalon. "Arhoswch efo ni am weddill y dydd, beth bynnag."

Trampiodd Mistar Ffrancenstein yn ôl i'r dosbarth efo Miss Pritchard.

BWM! BWM! BWM!

Torrodd Miss Pritchard y newyddion i Ddosbarth 3Ff.

Wel, Dosbarth 3Ff, dwi'n *gobeithio* nad chi *sydd* ar fai fod yr ysgol yn colli athro mor alluog â Mistar Ffrancenstein. Dydi hi ddim yn hawdd cael gafael ar athrawon cystal ag o. Maen nhw'n brin iawn!

Ond doedd Dosbarth 3Ff yn malio dim. Sut y medrai rhywun *mor hyll* fod yn werth ei gael? Athro newydd oedden nhw eisiau – rhywun oedd yn gwisgo dillad call, fel unrhyw athro arall.

Ticiodd y cloc ymlaen nes roedd hi'n amser mynd adref o'r diwedd. Yna, gan ochneidio, ffarweliodd Mistar Ffrancenstein â nhw . . . ac i ffwrdd ag o.

Wrth giât yr ysgol roedd rhieni yn dwrdio ac yn cwyno. Roedd plant yn pryfocio ac yn strancio. Roedd babanod yn sgrechian ac yn crio. Ac yng nghanol yr holl helynt roedd . . . mochyn cwta yn dianc.

"Brysiwch! Daliwch o!"
gwaeddodd bachgen, 
a rhedodd plant 3Ff
nerth eu traed.
Ond roedd
Samson yn mynd
ar wib, i'r chwith
ac i'r dde, yn ôl ac
ymlaen, yn troi ac yn trosi
wrth chwilio'r ffordd hyn
a'r ffordd acw am bâr
o draed trwm.
A dyna nhw . . .
yn trampio mynd . . .
ar ochr arall
y stryd!

Oedodd Samson. Roedd y plant yn dod yn nes ac yn nes. Anghofiodd bopeth am ddiogelwch y ffordd. Rhuthrodd allan i ddilyn ei ffrind, ac . . . yn sydyn, *SBLAT!*

Roedd Miss Pritchard wedi rhedeg drosto yn ei char.

Damwain oedd hi, wrth gwrs, ac roedd Miss Pritchard wedi cynhyrfu'n ofnadwy.

Roedd y plant yn welw ac wedi'u syfrdanu gydag ambell un yn crio.

"Ewch â fo at y milfeddyg, Miss!" meddai un o'r plant.

"Mae'n rhy hwyr i hynny!" rhuodd Mistar Ffrancenstein.

Trampiodd ei draed cawr yn gyflym drwy'r dyrfa.

Cododd y mochyn cwta bach fflat gyda'i ddwylo anferth. Daliodd Samson yn dyner yn ei freichiau anferth.

Rowliodd deigryn anferth i lawr ei foch.

A dyna pryd y sylweddolodd plant 3Ff eu bod nhw wedi gwneud cam â'u cyn-athro.

Efallai ei fod o'n hyll, ond roedd yn ddigon trist i grio! Felly, o dan yr wyneb erchyll, mae'n rhaid ei fod yn . . . *ddyn digon clên*.

Ar hynny, dyrnodd taran a holltodd mellten yr awyr.

"Na allaf," atebodd Mistar Ffrancenstein. "Ond fe wn i am ddyn sy'n gallu."

Draw yng nghanol y mynyddoedd sbwci roedd storm sbwci yn rhuo. Yng nghanol y storm sbwci honno roedd hen gastell sbwci. Yn y castell sbwci hwnnw roedd labordy sbwci. Ac yn y labordy sbwci hwnnw . . . wel, fe wyddoch chi'n *iawn* pa fath o beth sbwci oedd yn digwydd.

Roedd yno ffrwtian a fflachio, berwi a bangio, sïo a sisial, ffrïo a ffrwydro. Yna dyma'r ffurf bach llonydd o dan y gynfas yn dechrau crynu.

"Mae'n fyw!" gwaeddodd Y Doctor. A gwenodd Mistar Ffrancenstein.

Aeth yn ôl i'r ysgol a gwên fawr ar ei wyneb. Roedd plant 3Ff yn aros amdano. Y tro hwn cafodd groeso gwell o lawer, yn arbennig pan welodd y plant fod Samson yn iawn! Roedd Miss Pritchard yn hynod o falch.

Edrychai Samson yn wahanol i'r hyn oedd o cyn iddo gael ei wasgu'n fflat. Ond erbyn hyn roedd plant 3Ff wedi sylweddoli . . . *does dim ots sut mae neb yn edrych.*

"Hip-hip-hwrê i Mistar Ffrancenstein, yr athro gorau yn y byd!" gwaeddodd rhywun.

Wyddai Mistar Ffrancenstein ddim beth i'w ddweud.

Ond gwyddai yn ei galon fawr mai . . . dyma ddiwrnod hapusaf ei fywyd!